wat moet ik aan?

de regels

trinny woodall & susannah constantine

1

wat moet ik aan?

de regels

**trinny woodall &
susannah constantine**

vertaald door mechtild claessens

foto's van robin matthews

ARCHIPEL

Voor Sten en Johnnie
met onze altijddurende liefde

wat moet ik aan?

Eerste uitgave in 2002 in het Verenigd Koninkrijk door Weidenfeld & Nicholson

Een imprint van The Orion Publishing Group
Wellington House

Fotografie: Robin Matthews

Director vormgeving: David Rowley

Director redactie: Susan Haynes

Vormgeving origineel gebonden boek: Kate Stephens

Vormgeving omslag en herindeling: D.R. Ink, info@d-r-ink.com

ISBN 90 6305 247 2/NUR 452

inhoud

Om er elegant uit te zien gaat het erom te weten wat je wel én **wat je niet kunt dragen**. Het gaat erom eerlijk te zijn en onder ogen te durven zien dat **sommige delen van je lichaam niet geweldig zijn**, en te begrijpen dat bepaalde kleding deze zwakke kanten alleen maar accentueert. Velen van ons hobbelen door het leven zonder het beste van onszelf te maken, omdat we **geen zelfvertrouwen** hebben, vinden dat kleren er niet toe doen of omdat we niet weten waar we moeten beginnen. Maar hoe meer je over je lichaam weet, hoe eenvoudiger het is om er geweldig uit te zien.

Ongelukkigerwijs hebben velen van ons heel wat hindernissen te nemen voordat we dat stadium bereiken, en **we denken ten onrechte dat het ons toch nooit zal lukken elegant te worden**. Onze onkunde vergoelijken we met gemakkelijke smoesjes: we hebben de kinderen, een negatief banksaldo, geen tijd, geen zin. Kleren zijn onbelangrijk, omdat je je op je fantastische persoonlijkheid kunt verlaten en je partner zich er niet aan stoort dat je er als een zwerver bij loopt, omdat hij van je houdt zoals je bent. Maar dat is natuurlijk onzin. **Wij denken dat ieder van jullie er beter wil uitzien**. Zelfs al vind je van jezelf dat je een godin lijkt, dan nog ruil je waarschijnlijk graag je borsten in voor een boezem die de zwaartekracht tart, en als je de volmaakte borsten hebt, vind je ongetwijfeld je billen zó dik dat je er niet eens over peinst ze in een strakke broek te laten zien.

Je gelooft dat dieet, geld en plastische chirurgie de oplossingen zijn, maar je bent te gulzig om het eerste te volgen, je zult van het tweede nooit genoeg hebben en daarom het derde niet kunnen betalen. Als al die dingen wel binnen je bereik liggen, is dat prachtig, maar dan kun je natuurlijk altijd weer als verontschuldiging aanvoeren dat **je denkt dat je modieus moet zijn om elegant te zijn**, en dat je dat niet kunt zijn als je te oud, te jong, te dun, dik, lang of klein bent. Maar om er charmant uit te zien gaat het er niet om de mode te volgen, te vermageren, rijk te zijn of onder het mes te gaan. **Het gaat erom je zo te kleden dat je er op je voordeligst uitziet, en je minder fraaie lichaamsdelen te verdoezelen**. Als je eenmaal weet wat je niet moet dragen, ligt de weg naar elegantie voor je open.

De Amerikaanse mode-goeroe Diana Vreeland zei: 'Elegantie is aangeboren… met goed gekleed zijn heeft het niets te maken.' **Het is een – van vooringenomenheid getuigend – fabeltje dat stijl iets is waar je mee wordt geboren**. Volgens ons is dat nonsens. Zou ze ook zoiets zeggen over een geboren 'elegantsia' in een oversized fleece trui en een legging die zo strak is dat je haar cellulitis ziet? Zou ze hetzelfde zeggen tegen het graatmagere mode-icoon (en volgens sommigen Diana Vreelands opvolgster) Anna Wintour, als deze een decolleté droeg dat haar skeletachtige borst onbedekt liet en een plissérok waar haar onwaarschijnlijk smalle lijfje in verdronk? Misschien beweeg je je even sierlijk als een prima ballerina, maar als je dikke dijen met putjes hebt, zal geen enkele minirok, hoe mooi ook, ze flatteren.

inleiding

Elegantie is niet iets waar je mee wordt geboren, maar iets dat iedereen zich eigen kan maken. Wij zijn daar een heel goed voorbeeld van. Mocht iemand denken dat wij inderdaad wel enige elegantie bezitten dan wel een vrij goed figuur hebben, dan moet hij wel weten dat het jaren heeft gekost om het eerste te verwerven en dat het laatste een en al bedrog is. We zijn lang en Trinny is bovendien mager, maar de schijn 'ideale maten' te hebben **berust louter op slimme maskering**. Trinny is altijd al dol op kleren geweest en verslond van jongs af aan glossies, maar het duurde meer dan twintig jaar eer ze de theatrale drang om het uiterlijk van de nieuwste popgroep te imiteren kon weerstaan. In de jaren tachtig was ze voor haar androgyne krijtstreepuitmonstering schatplichtig aan Spandau Ballet, terwijl Bucks Fizz de weg baande voor een pluizige en wittige ragebol met een zwierige vilthoed erop. Bij de grote haardos hoorden grote oorbellen, geaccentueerd door een oranje huidskleur, afkomstig uit een flesje zonnebruin, en parelmoeren roze lippenstift. Dit klinkt afgrijselijk en dat was het ook, maar over haar figuur werd altijd gesproken op de eerbiedige toon waarop over bijzondere mensen wordt gepraat. **Zoals te zien zal zijn, is de werkelijkheid heel anders**. Trinny is mager, ze heeft korte benen, geen borsten en een onevenredig fors en vlezig achterwerk. Maar omdat ze deze onvolkomenheden heeft **leren te verhullen**, ziet de toeschouwer alleen maar ellenlange ledematen en gebeeldhouwde billen, en omdat ze zich zo goed kleedt, valt het niet eens op dat ze plat als een strijkplank is.

De eerste indruk die Susannah maakt is misschien niet zo gunstig als die van Trinny, maar sommige mensen zouden kunnen denken: **ooh... sexy, fraai gewelfd figuur**. Wat 'n grap. Achter de smaakvolle getailleerde jasjes en driekwart mouwen gaat een onhandelbaar lichaam schuil dat, na twee kinderen, reddeloos is uitgerekt. Haar buik zou best wat vastgesjord kunnen worden, haar onderarmen hangen even indrukwekkend als de tuinen van Babylon en haar borsten zijn veel te groot om menselijkerwijs mee te kunnen leven. Ze is nu **goed onderlegd in de kunst van het camoufleren**, maar ze begon pas gevoel voor stijl te ontwikkelen toen ze Trinny ontmoette, hoewel ze met enkele van de bekendste topontwerpers had gewerkt. Susannah gaf blijk van schizofrenie in haar gebrek aan kledinggevoel. Ze was een combinatie van een Vestaalse maagd en een geflipt crackhoertje. Aan de ene kant nam ze alles over wat afschuwelijk is aan de Engelse countrystyle, terwijl haar andere ik zich mocht bezondigen aan handschoenen die waren afgezet met maraboeveren, aan kousen met ladders erin en ongelofelijk kleine rokjes. Iemand had ooit tegen haar gezegd dat ze mooie benen had, dus het was een wonder als je haar ooit in iets anders dan een rokje betrapte. Haar haren, met een weelderige pony, waren heel lang en vielen langs een korte, dikke hals die altijd werd dichtgesnoerd met een nauwsluitend parelcollier. Haar kleding getuigde niet van goede smaak, maar ze kon met veel ervan ongestraft lopen, **omdat de kleren bij haar figuur pasten**. Na die donkere jaren hebben we in de modewereld gewerkt en deze van alle kanten leren kennen. We beschouwen 'mode' over het algemeen als een vrij onnozele bedoening en hoe meer belang eraan wordt gehecht, hoe belachelijker het wordt. Maar als het om onze kleren gaat, wordt mode iets dodelijk ernstigs. **Wanneer we winkelen, willen we dat onze aankopen ons leven veranderen**. Wanneer we ons aankleden, willen we dat de Goede Fee ons in Elle Macpherson verandert. Helaas is de Goede Fee voor de meesten van ons een geestverschijning die is opgeroepen door de beeldschone modellen op de glanzende pagina's van modebladen. Ze tonen onbereikbare idealen waar wij stervelingen niet eens naar kunnen streven. Pogingen om er net zoals zij uit te zien leiden tot enorme frustratie. Je probeert het wel, maar het resultaat stelt je vaak bitter teleur. De frustratie wordt alomvattend.

Omdat we voor ons BBC-programma *Wat moet ik aan?* met veel verschillende vrouwen hebben gewerkt, hebben we als direct betrokkenen gemerkt hoe onzeker en gefrustreerd het vrouwelijke geslacht is. Sommigen van hen vonden kleren iets belachelijks, anderen waren ervan overtuigd dat ze niet te helpen waren. Veel vrouwen zagen alleen maar de lelijke kanten van hun lichaam. Zodra we hen erop wezen dat ze prachtige enkels, mooie borsten of een fraai gevormde rug hadden, kregen ze er **vertrouwen in dat elegant worden tot het rijk der mogelijkheden behoorde**. Misschien vinden veel mensen onze tactiek hard en meedogenloos, maar we zijn trots op de resultaten.

Elke dame in ons programma is ge-transformeerd in een **stralend toon-beeld van zelfvertrouwen**. Mannen vinden dat vrouwen gek zijn, omdat ze zich zo druk maken over kleding. Maar **wij weten dat de manier waarop we eruitzien uiteindelijk heel veel invloed op ons leven kan hebben**. Een sexy uiterlijk maakt dat je je sexy voelt. Een professioneel uiterlijk helpt je aan die ene baan. **In de eerste plaats moet je echter weten hoe je in elkaar zit**.

We hopen dat iedere vrouw die dit boek leest het gevoel krijgt dat we haar op de huid zitten en zo tot overgave dwingen. Geef het boek door aan je vriendinnen, maar verstop het voor de jongens en meisjes die je niet aardig vindt. De mannen hoeven niet te weten **hoe je opeens zo'n verleidelijke vrouw bent geworden**. Je ambitieuze collega's hoeven er niet achter te komen waarom je er slanker, verzorgder en geraffineerder uitziet. **Dit is je geheime wapen en denk eraan, het gaat niet zozeer om de tips die je hebt gekregen, als wel om de fouten die je nu niet meer maakt**. Zolang je je aan de regels houdt, hoef je niet meer op de mode te letten. Mocht je evenwel van modieuze kleren houden, **pas dan gewoon de nieuwste trend van dit seizoen aan je eigen figuur aan**.

X   Ssanah X

Mensen zullen naar je kijken en vinden dat je een geweldige boezem hebt – **dus wat is het probleem?** Nou, om te beginnen, wéét Susannah zeker en kan Trinny zich voorstellen dat voor het kopen van jurken, pakken en jassen die zowel aan de boven- als onderhelft van je lichaam goed zitten, een universitaire graad in anatomie vereist is. En hoewel we er helemaal niets op tegen hebben dat een meisje **haar natuurlijke kwaliteiten uitbuit**, moet ze oppassen dat ze er niet topzwaar of hoerig uitziet. Het is heel leuk om mannenmagneten te hebben als je een avondje uit bent, maar er zijn momenten waarop

zware borsten

1

je om je hersenen gewaardeerd wilt worden. Dat vereist **ingetogen kleding** en het toepassen van **heimelijke trucs** om een en ander wat te temperen. Het voornaamste hulpmiddel, een dat onontbeerlijk zal worden, is een goed zittende beha. Investeer alles wat nodig is om de beste voor jezelf te vinden. Hijs je borsten hoog op en duw ze naar voren met beugels aan de onderkant en sterke schouderbandjes. Uitgerust met **de juiste beha** ben je je borsten de baas in plaats van andersom. Het is veel opwindender om borsten te hebben die je bij gelegenheid en te gelegener tijd kunt laten zien.

hoge hals en mouwloos

waarom: doet de borsten op half met water gevulde ballonnen lijken.

of
...

T-shirt met hooggesloten ronde hals

waarom: modelleert de borsten tot één grote klomp.

breed uitgesneden hals

waarom: een lage, brede halslijn breekt het borstvlak en zorgt ervoor dat je borsten er niet als een verlenging van je kin uitzien.

alternatief
....
mouwloos T-shirt met V-hals

waarom: de V breekt het grote vlak van je borstkas (zonder mouwen is alleen weggelegd voor die zeldzame vrouw die gezegend is met stevige armen en een pronte boezem).

slecht passend, mouwloos, bij de hals gerimpeld topje

waarom: de borsten leveren de klonterige aanblik op van slecht gemaakte custardpudding.

1 lelijkste top

of
...

hemdje met ronde hals

waarom: bij zware borsten horen steevast dikke armen om ze te kunnen torsen en deze dienen altijd verborgen te blijven.

strak rond het middel
en lossen bij de borsten

waarom: omdat de stof rond de borsten losser valt, wordt de illusie gewekt dat er niet genoeg is om de stof mee te vullen. Je middel zal er in vergelijking ook smaller uitzien.

korsetvorm met mouwen

waarom: accentueert de borsten zonder vulgair te zijn.

mooiste top

alternatief
wikkeltopje

waarom: trekt de borsten naar voren en vestigt de aandacht op het middel.

kort, hoekig jasje

waarom: doet je er breed, vormloos en topzwaar uitzien.

<u>of</u>
...
rond platliggend kraagje

waarom: alles wat bij de hals is dichtgeknoopt zal je grotere borsten geven dan je kunt gebruiken.

de figuurlijnen volgend, diepe V-hals, heuplang en met kleine revers

waarom: de heuplengte maakt de benen langer en een diepe V-hals deelt de boezem in twee.

mooiste jasje

halterjurk

waarom: moeilijk om een beha onder te dragen, waardoor de borsten aan de zijkanten naar buiten kruipen.

1 lelijkste jurk

of
jurk met spaghettibandjes

waarom: de dunne bandjes benadrukken de omvang van de schouders en borsten.

U-hals, verhoogde taille en driekwart mouwen

waarom: maakt de hals lang en sierlijk, in plaats van de borsten tot onder de kin samen te binden

wikkeljurk

waarom: snoert het middel in en verdeelt de borst in kleinere vlakken.

alternatief
cocktailjurk met een lage, van een trekkoordje voorziene hals

waarom: verbergt het buikje; gerimpelde stof doet de boezem kleiner lijken en voorkomt dat de borsten bekneld zitten.

grof gebreid

waarom: dikke wol benadrukt
de dikke torso.

of
...
coltrui

waarom: borsten krijgen een nieuwe rol als
derde kin.

wikkelvestje

waarom: je kunt het zo strak trekken als je wilt, terwijl de borsten toch altijd van elkaar gescheiden worden gehouden.

alternatief
vestje met ronde hals, tot boven de beha losgeknoopt

waarom: voordeel is dat je het kunt dichtknopen wanneer het koud is of je je te bloot voelt.

mooiste trui

alternatief
diepe V-hals, fijn gebreid

waarom: dankzij fijne kasjmier zul je het warm hebben en er slank uitzien, terwijl de diepe V-hals de boezem deelt en twéé borsten laat zien, in plaats van één misvormde.

schuttingkraag

waarom: elk kledingstuk dat tot de hals is dichtgeknoopt zal altijd de borsten vervormen.

of
...

alles met 2 rijen knopen

waarom: twee rijen knopen maken de borstkas breder – niet geschikt om een perfect geproportioneerd lichaam te creëren.

en
.....

trenchcoat met ceintuur

waarom: veroorzaakt een ongewenst opbollen rond een gebied dat al bol genoeg staat.

1 lelijkste jas

smalle taille met smalle revers en wijd uitlopende rokpanden.

waarom: de diepe halslijn doorbreekt het grote vlak van gezwollen vlees.

1 mooiste jas

	€	€€	€€€
T-shirt	Marks & Spencer, Knickerbox	Jorando, Velvet	Chloé, Mimi Boutique, Studd
trui	Oasis, Zara, Topshop	Whistles, Joseph, French Connection, Vanessa Bruno	TSE cashmere, Martin Kidman, Rachel Riley
top	Topshop, Zara, Hennes	Karen Millen, FrostFrench, Mint, Vanessa Bruno, Uth	Missoni, Tracy Feith, Rozae Nichols, Miu Miu, Anna Molinari
mantel	Topshop, Zara, Hennes	Marc by Marc Jacobs, See by Chloé, Joseph, Earl Jean	Marc Jacobs, Dries Van Noten, Dolce & Gabbana
jurk	H & M, Zara	Betsey Johnson, Ghost, Joseph	Alberta Ferretti, Chloé
jasje	Warehouse, Topshop, Gharani Strok for Debenhams	Paul and Joe, Mint, Karen Millen, Whistles	Gharani Strok for Debenhams, Dolce & Gabbana, Sybilla, Sybil Stanislaus, Anna Molinari, Diane Von Fürstenberg

gulden regels

Draag nooit hoge ronde halzen.

Draag nooit kabeltruien.

Nehroe-jasjes zijn alleen voor mannen.

Ga nooit je huis uit zonder de beha-test te doen. Doe hem uit als je de contouren van opvulsels of kant kan zien.

Vermijd geribbelde cols – door zulke cols lijkt het of de borsten vanuit je hals groeien.

Smijt de kleren die je niet staan de deur uit – ook al beschouw je ze als oude vrienden.

Draag nooit ondergoed dat donkerder is dan de kleren die je aan hebt.

Subtiel is sexy – vulgair is dat niet

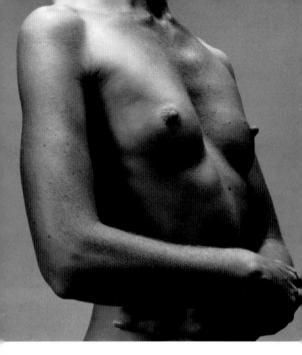

Als je een **borstkas zonder borsten** hebt, heb je er ongetwijfeld naar verlangd ze wél te hebben, nagedacht over plastische chirurgie en alle kunstmiddelen uitgeprobeerd om dat wat er niet is een duwtje omhoog te geven. De ironie is dat veel vrouwen met zware borsten jaloers naar de minderbedeelden kijken. Susannah zou dolgraag de kleren dragen die Trinny aan kan. **Een heleboel kleren zien er beter uit** als ze door vrouwen met een platte boezem worden gedragen. Ze zitten gewoon beter en dat moet toch wel een zekere compensatie zijn voor het feit dat je erover inzit niet sexy te zijn. **Je hebt geen borsten nodig om**

geen
borsten

2

verleidelijk te zijn en je hebt altijd de keus tussen een borstendag en een borstloze dag. Je kunt je sex-appeal opkrikken met kussentjes en siliconenvullingen. We weten hoe moeilijk het af en toe kan zijn voor alleenstaanden, omdat vooral jonge mannen eerst wat tieten moeten zien voor ze ook maar met je willen práten. Maar misschien is dit zo slecht nog niet, want als je het van de andere kant bekijkt werken je **kleine borstjes** eigenlijk als een filter voor alle boerenpummels. **Een bijkomend voordeel** is dat er niet één mantel of jasje is waarin je er niet fantastisch uitziet.

laag uitgesneden ronde hals

waarom: accentueert een knokige borst die meer op een leeggelopen ballon dan op een bollend decolleté lijkt.

of
...
diepe V-hals en driekwart mouwen

waarom: de V wijst als een pijl naar de leegte onder het shirt. Hhet geheel wekt een skeletachtige indruk.

hoge hals en diepe armuitsnijding

waarom: vestigt de aandacht op de armen, die steevast slank zijn.

alternatief
boothals en kopmouwtjes

waarom: de boothals maakt de schouders breder en de kopmouwtjes zorgen voor de kleerhangershoeken die gewoonlijk aan fotomodellen zijn voorbehouden.

korset-topje

waarom: de bedoeling ervan is de borst te benadrukken; als er niets is om op te duwen, heeft het hele ding geen functie.

of
...
strak strapless topje

waarom: bij een vrouw met borsten ziet het er prima uit, bij een meisje zonder borsten wordt het een windsel met niets wat het op zijn plaats kan houden.

halterbloesje

waarom: ja, er zijn beha's ontworpen om hieronder te dragen, maar kleine borsten en de hoekige snit van dit bloesje vormen een goed team. Het doet ook de schouders goed uitkomen, als sexy vervangers van een decolleté.

2 mooiste top

alternatief
mouwloos bloesje met versieringen middenvoor

waarom: strookjes en ruches bedekken de borst en compenseren wat er niet is.

empirestijl

waarom: hangt omlaag als het habijt van een non uit een heel strenge orde. Geen kuisheidsgordel meer bij nodig.

of
...
strak en rekbaar met spaghettibandjes

waarom: er bestaat niets ergers dan een niet goed gevuld condoom. Bij een mager bovenlijf is strak niet sexy, het is teleurstellend.

hoge hals en een beetje doorzichtig

waarom: met kleine borsten is subtiel tentoonspreiden van de tepels zeer sexy zolang het niet té openlijk is.

navel-diep uitgesneden hals

waarom: niet dragen als je kunstmatige steun nodig hebt, maar als dat niet het geval is, ziet het er geweldig verleidelijk uit.

alternatief
blote rug

waarom: een mooie rug is even begeerlijk als een opbollende borst.

alles wat te fijn gebreid en te laag uitgesneden is

waarom: het ragfijne breisel kleeft aan de huid, waardoor het 'natte T-shirt'-effect ontstaat en er erwtjes in plaats van perziken te zien zijn.

2 lelijkste trui

grof gebreide coltrui

waarom: staat een vrouw met een platte boezem enorm elegant – de rolkraag ziet eruit als een rolkraag en niet als de dubbele kin bij een vrouw met zware borsten.

alternatief
lange nauwsluitende mouwen en een ronde hals

waarom: de eenvoudige lijnen van dit model worden niet bedorven door het volume van zware borsten.

	€	€€	€€€
T-shirt	Knickerbox, Topshop, Marks & Spencer	Michael Stone (from Whistles), Juicy Couture, French Connection	Chloé, Marni, Gucci
top	Topshop, Petit Bateau, Marks & Spencer, Tesco	Jigsaw, Mint, Vanessa Bruno, DKNY	Alice Temperley, Chloé, Dries Van Noten, Prada, Marni, Pucci
jurk	Zara, Topshop	Joseph, Ronit Zilkha, Nicole Farhi, Giant'	Chloé, Marni, Alice Temperley
trui	Topshop, Oasis, Zara	Brora, Joseph, Ann-Louise Roswald, John Smedley	Marni, Prada, Gucci, Etro

gulden regels

Een diep uitgesneden hals is alleen geschikt voor een perfect decolleté dat niet is aangetast door zon of leeftijd.

Platte boezems hebben hooggesloten halzen nodig.

Kipfilets ter vergroting van de borsten moeten altijd stevig met een beha worden vastgezet, anders vallen ze onder het eten in de soep.

De rug is een sexy alternatief, dus zorg dat hij glad en glanzend blijft.

Smijt de kleren die je niet staan de deur uit – ook al beschouw je ze als oude vrienden.

Draag je een pullover met een V-hals, doe er dan altijd een T-shirt met een ronde hals onder aan.

Een laag uitgesneden hals wekt niet de illusie dat je borsten hebt.

Denk eraan: al ben je misschien niet geboren met stijlgevoel, je kunt het wel ontwikkelen

Dikke armen zijn de vloek van onze natie, wat de natie overigens geen barst lijkt te kunnen schelen. Voortdurend worden we geconfronteerd met vrouwen die schaamteloos kolossale armen ontbloten, welke eigenlijk **bedekt zouden moeten blijven**. Toch gooien we hen dat niet voor de voeten. Het zijn de fabrikanten die de kogel zouden moeten krijgen. Ze willen met alle geweld en masse mouwloze bloesjes en jurken produceren, die voor de bladen worden gefotografeerd. Susannah, die met haar bovenarmen een zeskoppige familie zou kunnen onderhouden, vindt **de aanblik van mouwloze armen deprimerend**. Haar hart breekt bij het

dikke
armen

3

maandelijks doorbladeren van de glimmende modebladen. Wat denken ze verdomme dat zij, de bezitster van geplukte kippenvleugels, in de zomer zou moeten dragen? **Wat moet je in godsnaam voor avondjurk aan**, als je armen erom vragen bedekt te blijven? Naar het bal gaan en eruitzien als een weduwe van adellijken huize, of je gewoon nergens druk om maken? Als er wat meer mouwen voorhanden waren, zou bloot kwabbelend vlees niet langer een probleem zijn en zouden vrouwen als Susannah zich **niet langer gefrustreerd voelen** omdat ze zich moeten behelpen met T-shirts, vestjes en sjofele jurken.

kapvormige mouwtjes

waarom: bij dikke armen lijken deze op een badmuts boven op een vleesberg.

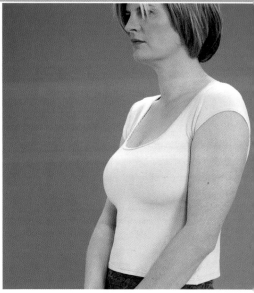

of
...
mouwloos hemdje

waarom: wil je echt dat iedereen je lelijkste lichaamsgebrek ziet? Verstop die vetbulten in 's hemelsnaam.

driekwart mouwen

waarom: om het spek van de bovenarmen te verbergen en de tengere pols
te laten zien.

alternatief
T-shirt met lange mouwen

waarom: de mouwen verbergen duidelijk de
zonden; zorg er wel voor dat de mouwen niet te
nauw zijn en je armen op vacuümverpakte
knakworsten lijken.

pofmouwtjes

waarom: door mouwtjes met een elastiek erin krijg je twee heel dikke worsten in plaats van één.

of
...
haltertopje

waarom: doordat het topje bij de hals zo smal is, lijken de armen in vergelijking daarmee nog dikker.

fladderende manchetten

waarom: manchetten van een dunne stof geven vlezige armen iets broos en verdoezelen het feit dat deze al te potig zijn.

3 mooiste top

alternatief
bolstaande schouderplooi

waarom: een ruimer armsgat en bloezende mouw wekken de illusie dat zich daarbinnen iets veel eleganters bevindt.

spaghettibandjes

waarom: omdat de bandjes zo flinter-
dun zijn, benadrukken ze het feit dat je
bovenarmen volumineus zijn.

of
hemdjurk zonder mouwen

waarom: iedereen zal zich afvragen hoe die
gigantische vleesmassa zich door het armsgat
heeft weten te wurmen.

trompetvormige mouwen – hoe wijder uitlopend, hoe beter

waarom: de breedte van de manchetten vormt een tegenwicht tegen dikke bovenarmen

alternatief
mouwen

waarom: mouwen maken de onderarmen langer en het hele kledingstuk slanker.

3 mooiste jurk

alternatief
jurk met mouwen en kleine dessins

waarom: het drukke dessin leidt de aandacht van de armen af.

brede armband

waarom: eigenlijk zou de arm hierdoor
dunner moeten lijken. Zoals te zien is,
is dat niet het geval, omdat hij het
smalste gedeelte verbergt... je pols.

3 lelijkste sieraad

subtiel armbandje

waarom: doet het mooiste gedeelte
van je arm goed uitkomen en verfraait
het.

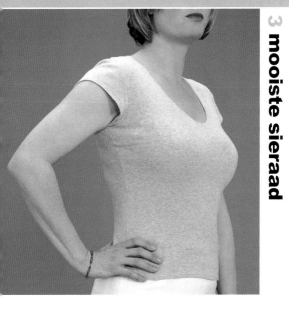

	€	€€	€€€
T-shirt	Jigsaw, Petit Bateau, Gap underwear, Zara	Velvet	Fake, Studd
top	Warehouse, Oasis, Zara	Mint, Sara Berman, Karen Millen, Dosa	Missoni, Fake, Chloé
jurk	Warehouse, Oasis, Zara	Mint, Karen Millen, Dosa	Diane Von Fürstenberg, Dolce & Gabbana, Giorgio Armani, Sybil Stanislaus

gulden regels

Dikke armen moeten altijd mouwen dragen.

Kopmouwen kunnen absoluut niet – ze verstikken dikke armen.

Kleine dessins verdoezelen een grote hoeveelheid kwabbig vlees.

Wees meedogenloos – smijt de kleren die je niet staan weg en trakteer jezelf op een paar nieuwe die dat wel doen.

Wees niet bang er anders
uit te zien dan je vrienden

De meeste vrouwen met een dik achterwerk haten hun billen. Maar zolang de
billen stevig zijn, **doet het er niet toe
hoe groot ze zijn**. Een goed gevuld
achterwerk heeft iets heel opwindends,
dus laat het zien in plaats van te proberen
het te verbergen. Draag gerust strakke
rokken; een man klampt zich maar al te
graag aan iets stevigs vast.
Denk eraan, als je je achterste bekleedt,
hoe de buik van een zwangere vrouw er op
haar best uitziet. Een achterwerk waar
door **strakke kleren** de aandacht op
wordt gevestigd, is veel flatteuzer dan een
waar balen stof omheen hangen. Stof die

dik
achterwerk

4

al te volumineus van het vlezigste deel van je uitpuilende achterste hangt, maakt van je dijen en achterwerk één grote massa. Een kont die buitenproportioneel groot is, is niet geweldig, dus moet je **listige trucs** gebruiken om de illusie te wekken dat de proporties beter zijn. Waar je op afknapt als je **vlezige billen** hebt, is dat rokken en broeken die goed om je achterwerk zitten, rond je middel nog wel eens niet passen. Dan blijft je niets anders over dan je aan de plaatselijke naaister over te leveren, die de slobberende stof kan innemen.

hoog in de taille en strak

waarom: een broeksband die hoog rond het middel zit, doet het achterwerk groter lijken, omdat er meer stof in de broek zit.

of
.....
bandplooibroek

waarom: plooien zullen door dik achterste uiteen worden getrokken.

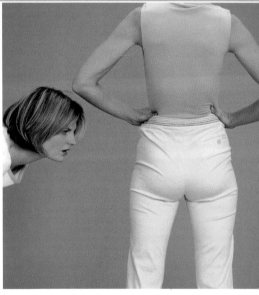

en
.....
broek met smal toelopende pijpen

waarom: maakt je enkels slank, maar god allemachtig, wat zien je billen er daarboven kolossaal uit.

ruim zittende broek met zijsluiting

waarom: de lage broeksband deelt de oppervlakte van het achterwerk in twee, waardoor de omvang half zo groot wordt.

alternatief
broek met brede pijpen

waarom: houdt alles in evenwicht, omdat hij niet zozeer het achterwerk omsluit, als wel er soepel van neerhangt.

kort jasje

waarom: ziet er gewoon te klein uit om zoiets groots te kunnen bedekken.

of
...
jasjes die tot of boven het zitvlak vallen

waarom: accentueren alleen maar de breedte ervan.

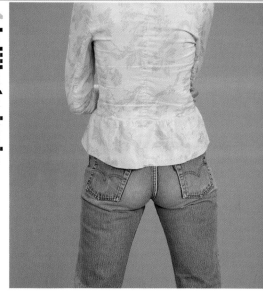

en
.....
lange rechte jas zonder coupenaden

waarom: zal te strak om het achterwerk en te ruim om het middel zitten.

getailleerde jas die over het achterwerk uitwaaiert

waarom: verbergt het achterwerk, brengt het in evenwicht met de rest en geeft een vrouwelijke vorm.

alternatief
afkledend jasje dat over het achterwerk valt

waarom: bedekt de lichamelijke tekortkoming, terwijl het een scherp silhouet geeft en de waarheid verheelt.

A-lijn

waarom: een dik achterste in een rok in A-lijn doet de stof aan de achterkant opbollen, waardoor het in vergelijking met de benen kolossaal wordt. Ziet eruit als de naar achteren gedraaide buik van een zwangere vrouw.

of
···
rechte rok

waarom: hangt onflatteus van het achterwerk af, waardoor je dijen er breed uitzien en je kuiten op speldjes lijken die uit de Kanaaltunnel te voorschijn komen.

klokkend

waarom: omklemt de billen en waaiert uit vanaf de achterkant van je dijen, waardoor je ronde billen een S-vormige elegantie krijgen.

kokerrok

waarom: sluit nauw op alle juiste plaatsen en heeft, als hij gedistingeerd van snit is, het effect van een korset dat alles bijeenhoudt.

4 mooiste rok

grote dessins op een dunne stof

waarom: fladderige stof biedt geen enkele steun en een opvallend dessin zal alleen maar van een bovenmaatse molshoop een bergketen maken.

of
.....
schuin geknipte lange jurk

waarom: doet je achterwerk uitzien als een lolly op een stokje.

en
.....
om de billen geperste jurk

waarom: als hij strak om je achterste zit, zal hij nergens anders goed zitten.

eenvoudige rechte of nauwsluitende jurk (maar alsjeblieft geen hemdjurken)

waarom: geeft een evenwichtig, doch op sexy manier getoond silhouet.

4 mooiste jurk

4 winkelen

	€	€€	€€€
broek	Zara, Jigsaw, Topshop, Nuala by Puma	French Connection, Laundry Industry, Betty Jackson	Giorgio Armani, Alice Temperley
jasje/jas	Oasis, Topshop, Zara	Joseph, Whistles, Betty Jackson	Alice Temperley, Chloé, Marni
rok	Zara, Topshop	Gharani Strok, French Connection, Karen Millen, Monsoon	Prada, Dolce & Gabbana, Dries Van Noten
jurk	Zara, Oasis, Warehouse, Topshop	Joseph, Whistles	Elspeth Gibson, Anna Molinari

gulden regels

Draag nooit jasjes die tot het achterste vallen.

Iedere contour van een slipje aan de achterkant ziet er afschuwelijk uit.

Doe de kleren aan waarin je je het zelfverzekerdst voelt en probeer erachter te komen waarom je ze zo graag aanhebt. Wat verbergen ze en wat laten ze zien?

Heupbroeken halveren je achterste.

Broeken die hoog in de taille zitten laten je achterste ENORM lijken.

Misschien maken je vrienden rotopmerkingen over je pas verworven elegantie – dat is alleen maar omdat ze jaloers zijn

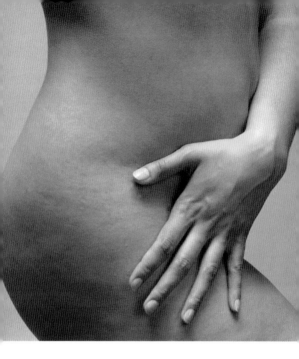

Geen taille hebben kan een vrouw het gevoel geven dat ze **niet vrouwelijk** is. Kijk maar eens naar al de moeite die men zich in het verleden getroostte om een bijna verplichte omvang van 45 centimeter te krijgen. **Een dik wordend middel** werd met de nodige hardhandigheid in een korset geperst, waardoor de draagster regelmatig flauwviel. En waarom? **Om het klassieke vrouwensilhouet te creëren**, dat op een zandloper leek – gewelfd en vrouwelijk van vorm, aan-

geen
taille

5

vaardbaar voor de maatschappij vanwege
de symboliek ervan. Gelukkig ligt die tijd
waarin zo'n scherp onderscheid tussen de
seksen werd gemaakt, ver achter ons en
hebben we nu **de vrijheid om verdomme te zijn wat we willen**. Toch zou het
aardig zijn om van achteren niet voor een
kerel te worden aangezien. Een korset
kan wonderen doen voor de taille van een
vrouw, maar het is niet het enige hulpmiddel om je dat te geven wat je genen je
niet hebben gegeven.

flodderbloes

waarom: je mag dan wel het silhouet van een torenflat hebben, daarom hoef je dat nog niet te accentueren met vormloze kleding.

of
...
hoekige vesten

waarom: omdat ze vierkant van vorm zijn, maken deze niet duidelijk omschreven zonden een vrouw even sexy als opgedroogd braaksel op de rand van een wc-bril.

naveldiepe V-hals

waarom: deze deelt de romp op, maakt een minder volumineuze vrouw van je en meer een wezen van een geraffineerde schoonheid.

korset-topje

waarom: er gaat niets boven een beetje versteviging om dat moeilijk te verkrijgen zandlopersfiguur te creëren.

alternatief
wikkelbloes

waarom: de gewikkelde stof wekt de illusie van welvingen, vooral wanneer de banden aan de zijkant van de taille zijn geknoopt.

met twee rijen knopen

waarom: de twee rijen recht onder elkaar vastgezette knopen doen geen enkele moeite het oog ervan te overtuigen dat zich onder het jasje wel degelijk een taille bevindt.

of
...
bolero

waarom: dit is zo kort dat je je taille blootstelt aan kritische blikken en schunnige opmerkingen.

nauwsluitende taille
maar net niet té

waarom: iets wat aansluit in de taille zal vanzelf over de heupen uitwaaieren en rondingen suggereren.

alternatief
kort leren jasje met rits
van voren

waarom: gedragen met een riem er precies onderlangs, maakt dit het deel onder de taille breder en zo de taille daarboven smaller.

trenchcoat

waarom: als hij loshangt, is het een armzalig soort jas die alleen maar alle schijn van vrouwelijkheid tenietdoet. Met een ceintuur erom zal de aandacht worden gevestigd op de inspanning die het de ceintuur kost om rond je middel te sluiten.

of

overjas met een rechte coupe

waarom: als deze goed zit om je middel, zal hij over je achterste uitpuilen.

geklede jas met één rij knopen

waarom: deze heeft een fantastische taillesnit, bederf dus de gewelfde lijn niet door hem dicht te knopen. Laat de jas het werk voor je doen.

5 mooiste jas

hemdjurk

waarom: haal je voor de geest wanneer prinses Diana er op haar slechtst uitzag, en onherroepelijk denk je aan de vreselijke hemdjurken die ze droeg. Omdat ze geen taille had, zag ze er heel mannelijk uit in deze doodsaaie jurken die alleen Jacky Onassis ooit goed stonden. Hoe kwam dat? Jacky was uiterst fragiel, had mooie benen, geen borsten en een heel vierkante kaak.

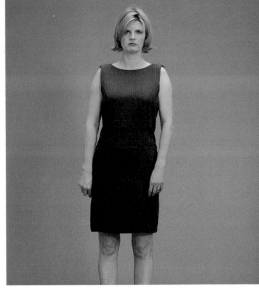

nauwsluitend, van zachte stof met een klein dessin

waarom: het dessin is zo druk dat het de aandacht afleidt van de werkelijkheid, die inhoudt dat je eigenlijk geen taille hebt. Dunne stof leidt nog extra de aandacht af, omdat er altijd beweging in zit.

alternatief
wikkeljurk

waarom: net als een wikkeltopje, helpt een wikkeljurk illusies te wekken.

	€	€€	€€€
top	Zara, Topshop	Velvet, Miu Miu, Karen Millen	Tracy Feith, Missoni
jas	Hennes, Zara, Oasis	Joseph, Dries Van Noten	Dolce & Gabbana, Alexander McQueen, Alice Temperley
jasje	Topshop, Zara, Hennes	Joseph, Jigsaw, Karen Millen	Vivienne Westwood
jurk	Warehouse, Oasis	Whistles, Karen Millen	Diane Von Fürstenberg, Vivienne Westwood, Marni, John Galliano

gulden regels

Draag nooit flodderkleding.

Een diep uitgesneden V-hals maakt de taille compact.

Korsetten zijn heel wat aangenamer geworden dan in de negentiende eeuw, dus geef er wat geld aan uit.

Brede riemen om de heupen doen het middel smaller lijken.

Knellend ondergoed is zoiets als deeg onder een deegroller – alles wordt plat.

Alles wat twee rijen knopen heeft, moet worden weggegooid.

Niet dichtgeknoopte getailleerde jassen wekken de schijn dat je een taille hebt.

Mest je garderobe eens goed uit – het schenkt je twee keer zoveel voldoening als een dagje winkelen

Heb je al perfecte borsten of wil je die
helemaal niet hebben, dan wil je vast en
zeker **lange benen**. Ze zijn, net als mooie
borsten, een reden om iedereen te haten
die ze heeft, vooral omdat de plastische
chirurgie nog steeds geen methode heeft
gevonden **om benen uit te rekken**.
Trinny voelt helemaal mee met vrouwen
die korte beentjes hebben. Ze heeft ze
haar hele leven al. Maar in plaats van ermee te hebben leren leven, heeft ze
geleerd hoe ze ze, op een werkelijk bril-

korte
benen

6

jante manier, **kan verbergen**. Niemand
zou ook maar vermoeden dat zich onder
de **lange jasjes en uitwaaierende
broeken** stompjes schuilhouden die beter
zouden passen bij een van de kleine
vriendjes van Sneeuwwitje. Als zíj **de illusie** kan **wekken** benen als die van Elle
Macpherson te hebben, kan iedereen het.
En zoals bij alle gemakkelijk op te lossen
problemen frustreert het ons enorm
vrouwen te zien die erin berust hebben
teckels te zijn in plaats van hazewinden.

met korte pijpen

waarom: een broek die waar dan ook boven de enkel eindigt, maakt korter. Als mensen naar benen kijken die in een korte broek zijn gestopt, is alles wat ze zien, tja, de korte broek, en dat doet korte benen dan weer… nog korter lijken.

6 lelijkste broek

of
jeans met smalle pijpen

waarom: veel te strak, laat geen ruimte over om de waarheid te verdoezelen. Je korte benen komen er té duidelijk in uit.

palazzo pants

waarom: verhult waar je achterwerk eindigt en je taille begint, waardoor korte benen langer lijken.

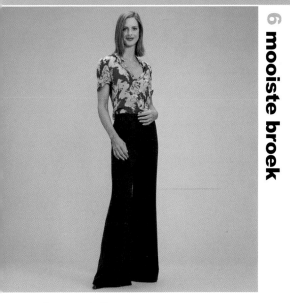

alternatief
broek met wijd uitlopende pijpen

waarom: de wijdte van de pijpen verhult elke schoen, hoe hoog die ook is. Zorg dat ze nog steeds lang genoeg zijn om langs de grond te scheren.

alles wat te strak zit

waarom: zal rond het achterste trekken en aldus het vreselijke geheim verraden dat je een achterwerk hebt dat bijna over de grond sleept.

lang en met een hoge taille

waarom: net als alles in de empire-stijl, waaiert de jurk van onder de boezem uit en glijdt hij over het achter-werk heen, waardoor dit helemaal niet meer te zien is.

over een broek gedragen

waarom: dit is een heel goede truc om te maskeren hoe kort je benen zijn, omdat de broek extra dekking wordt gegeven door de jurk.

kort, zonder iets eronder

waarom: dit laat een ruimte bij de maag over, waardoor het lijkt of je benen niet lang genoeg zijn om tot de zoom van het topje te reiken.

6 lelijkste top

twee topjes over elkaar

waarom: als je korte benen hebt zul je ter compensatie van je onvolgroeidheid een lange rug hebben. Het grote oppervlak van je romp moet worden onderbroken door laagjes over elkaar te dragen, waardoor je benen vanzelf langer lijken.

6 mooiste top

op taillehoogte

waarom: het valt net op de heup-botten, waardoor het lage kruis onbedekt blijft.

driekwartlengte

waarom: dit is een heel goede lengte, zolang ze bij een broek en hoge hakken wordt gedragen, want anders verdrink je erin.

6 mooiste jasje

alternatief
lang colbertjasje

waarom: een jasje als dit valt net over het achterwerk en laat zoveel mogelijk van de benen zien.

schuin geknipt, tot halverwege de kuiten

waarom: deze moeilijke lengte laat niet genoeg been zien om dit langer te maken en te veel been om het feit te verdoezelen dat je benen niet je sterkste punt zijn.

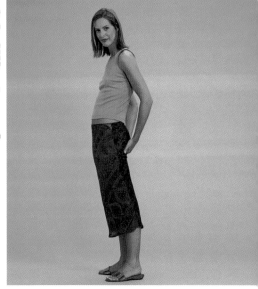

of
...
lange rok en platte schoenen

waarom: hiermee lijk je op een langbenig iemand... wiens staken bij de knie zijn afgehakt.

lang met hoge hakken

waarom: zolang de schoenen zijn bedekt, zal iedereen denken dat het je benen zijn die je extra lang maken.

kuitlang bij laarzen met hoge hakken

waarom: draag rok en laarzen van dezelfde kleur en de mensen zullen alleen nog maar naar je hoge billen boven op ellenlange benen kijken.

σ mooiste rok

alternatief
net onder de knie vallend

waarom: dit is het dunste gedeelte van je been en bovendien blijft ook je hele kuit zichtbaar, die aldus zijn maximale lengte kan tonen.

6 winkelen

	€	€€	€€€
broek	Zara, Topshop, Hennes	French Connection, Whistles	Chloé, Roland Mouret, Miu Miu
jurk	Zara	Joseph, Whistles	Marni
top	Knickerbox, Zara, Topshop, Laundry	Whistles, Michael Stone, Fake London, Jigsaw	Prada, Chloé, Alice Temperley
jasje/jas	Topshop, Hennes	Laundry Industry	Marni, Chloé, Missoni
rok	Topshop, Zara	French Connection, Jigsaw	Gharani Strok, Alice Temperley, Dries Van Noten

gulden regels

Broeken met korte pijpen accentueren dat je benen kort zijn.

Draag nooit een strakke broek – deze doet alleen maar duidelijk uitkomen waar je achterwerk eindigt en je benen beginnen.

Laat de zoom altijd tot de grond komen als je een broek draagt met hoge hakken eronder.

Draag nooit een rok die een tweede, lagere taillenaad heeft – je toch al korte benen zullen nogmaals tot de helft gereduceerd worden.

Een jurk over een broek verhult waar de benen beginnen.

Houd de kleuren vloeiend – dezelfde kleur schoenen, sokken en broek.

Als je niet op je hoge hakken kunt lopen, zullen ze je geen zelfvertrouwen geven.

Hang gekleurde kleren van één kleur bij elkaar als outfit – zodat je altijd iets om te dragen hebt

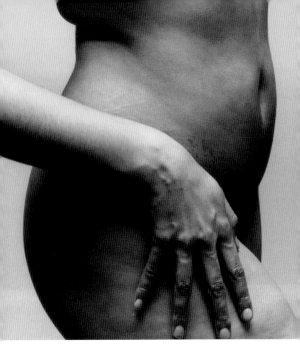

Samen met peervormige heupen scoort de
buik het hoogst als **minst favoriete
lichaamsdeel**. Slechts weinig vrouwen
zijn de trotse bezitster van een strak
buikje en degenen die dat zijn, zijn
genetische buitenbeentjes of trainen on-
vermoeibaar om de zaak onder controle te
houden. De rest zit **opgescheept met
spek** dat een eigen leven leidt. Het is een
gruwelijke kwelling, die hele hangbuik,
want het doel van elk trainingsprogram-
ma is een strakke six-pack. We worden
gedwongen te geloven dat het onmogelijk
is een mooi lichaam te hebben als er

slappe
buik

vet over je riem hangt. Dit is vreselijk voor ieder van ons die alleen maar naar een oliebol heeft gekeken of aan kinderen heeft gedacht, en niet eens een van die vervloekte schepsels op de wereld heeft gezet. We begrijpen dat een zwanger- schap, net als een normale gezonde eet- lust, vreselijke dingen met je lichaam kan doen, maar zonder plastische chirurgie is het bijna godsonmogelijk om een vel dat reddeloos is uitgerekt, weer stevig te maken. **Krijg je dus je buikje niet klein, verberg het dan gewoon.**

strak

waarom: niks ergers dan wanneer
door een krap T-shirt een te strak be-
habandje te zien is dat in overmatig
vet weefsel snijdt. Komt daar dan nog
een uitzicht bij op een voorkant van
deinend, blubberend vet, dan is dat
genoeg om Samson te doen wensen
dat hij maar blind mag blijven.

7 lelijkste T-shirt

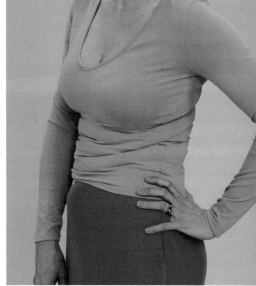

of
kort T-shirt

waarom: een T-shirt dat een centimeter of
tien boven je middel eindigt, laat de dikste
vetrol ongehinderd uitpuilen.

overhemdsslipzoom

waarom: een zoom als deze valt mooi over de buik, terwijl hij aan de zijkant omhoogloopt om hopelijk slankere heupbeenderen te laten zien.

alternatief
halflang

waarom: een zoom die midden op de buik valt, breekt de vetophoping in twee.

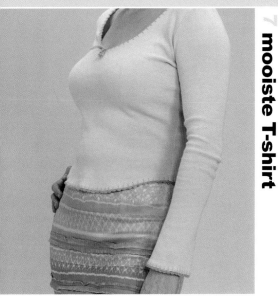

alternatief
nauwsluitend

waarom: zolang een nauwsluitend T-shirt niet om het vet geklampt zit, maakt het een volumineuze romp kleiner, omdat je er verzorgd en dus goed en slank uitziet.

strak hemdje

waarom: het kruipt altijd omhoog en laat zo een vetkussen zien dat over je rok- of broeksband hangt.

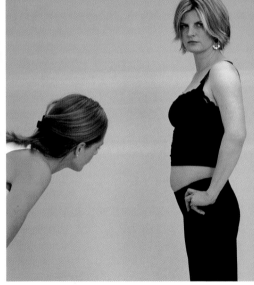

gerimpelde top

waarom: niemand zal weten of het de stof of je vlees is waardoor de golvende lijnen ontstaan.

alternatief
wikkelbloes

waarom: de knoop zit hoog genoeg om de taille in te snoeren, terwijl de onderkant van de bloes het buikje omhult.

krappe lycra

waarom: je ziet eruit als een te vol
gestopte worst.

of
kaftan

waarom: als je op welke plaats dan ook dik
bent, doet iets als dit de rest nog reusachtiger
lijken.

lage taillelijn

waarom: zal strak om de heupen zitten en zo even goed als een brede riem je buikje verhullen.

alternatief
wikkeljurk

waarom: accentueer de plooien en camoufleer zo je buikje.

alternatief
empirestijl

waarom: de aandacht wordt op de borsten gevestigd, doordat de stof precies daarvandaan omlaagvalt. Dit fungeert als een tent, zonder evenwel je hele lichaam te verbergen.

gerimpeld in de taille

waarom: waarom wil je een opbollende rok – is een bollend buikje niet genoeg?

of
rechte rok

waarom: de rok zal recht neerhangen van het continentaal plat van spek, waardoor de hele streek rond het bekken er kolossaal uitziet.

van voren geplooid

waarom: de plooien leiden de aandacht van de vetbuil af.

laag in de taille

waarom: de rokband loopt over de buik en brengt de omvang hiervan tot op de helft terug.

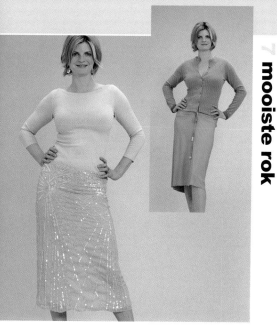

alternatief

sarongrok voor de oudere of sarong voor de jongere vrouwen

waarom: het bewegen van de plooien verhult de onderliggende beroering.

te strak, jeans-stijl

waarom: de buik blubbert over de snoerende broeksband.

of
heupbroek

waarom: te laag om een buik te verbergen of deze ook maar enige waardigheid te verlenen.

plat van voren met een rits aan de zijkant

waarom: houdt de buik in bedwang, met aan de voorkant niets wat deze boller maakt.

toverbroekje

waarom: dit is de enige wonderonderbroek die de billen ophijst en de buik vasthoudt zonder dat de samengeperste overdaad boven overloopt.

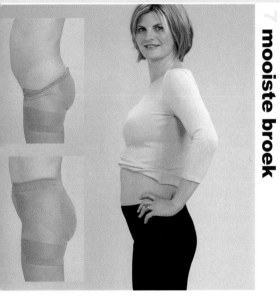

alternatief
één maat te grote, laaghangende jeans

waarom: hangt los rond het middel, waardoor het lijkt of de broek te groot is voor je beschamende geheim.

met een ceintuur

waarom: de ceintuur doet plooien ontstaan waardoor de omvang van je onhandelbare buik groter wordt.

kort en precies op maat

waarom: door de nauwsluitende taille zal de onderkant over het buikje uitwaaieren.

alternatief
met één rij knopen, vanaf het middel omlaag dichtgeknoopt

waarom: losgeknoopt laat het slechts een glimp zien van wat eronder zit, hetgeen slanker maakt.

7 winkelen

	€	€€	€€€
T-shirt	Topshop	Joseph, Agnès b., Jigsaw	Studd, Chloé, Boutiques in general
top	Topshop, Hennes	Whistles, Jigsaw, Georgina Von Etzdorf	Tracy Feith, Miu Miu, Missoni
broek	Hennes, Zara, Gap, Mango	Jigsaw, Joseph, French Connection, Nuala by Puma	Earl Jean, Anna Molinari, Donna Karen
rok	Marks & Spencer, Monsoon	Whistles, 120% linen	Rozae Nichols, Allegra Hicks
jasje	Topshop, Zara	Jigsaw, Joseph, Dosa	Chloé, Dries Van Noten, Dolce & Gabbana

gulden regels

Draag nooit een heupbroek.

Geen strakgespannen glanzende stoffen.

Zorg ervoor dat kleren losjes hangen in plaats van knellen.

Jurken en bloezen met een hoge taillelijn verhullen de vetrollen.

Doe geen te strakke riemen aan.

Zorg ervoor dat topjes van je buik neervallen in plaats van eronder kruipen.

Kom niet in de verleiding een piercing in een kwabbige navel aan te brengen.

Geen korte topjes, zelfs niet bij babyvet.

Stijl betekent: iets dragen
wat niemand anders heeft

Overdadig vet op de heupen is een kwaal waar miljoenen vrouwen aan lijden. Net als cellulitis is het **een last die alleen door het vrouwelijke geslacht wordt gedragen**. Tenzij een man echt zwaarlijvig is, hebben mannen geen zadeltasheupen. Brede heupen zijn in staat een magere vrouw naar vermageringspillen te doen grijpen. De vraag: **'Ziet mijn achterste er hierin dik uit?'** zal elke keer als ze zich aankleedt bij haar opkomen. 'Ja, inderdaad,' is ons antwoord, 'omdat je hardnekkig kleren

brede
heupen

blijft dragen die een schijnwerper op je uitdijende achterste richten.' Als je peer-vormig bent en je gewicht op je heupen torst, zal het ongetwijfeld moeilijk voor je zijn om **goed passende broeken** en fat-soenlijk om je middel en heupen zittende rokken te vinden. Dan kun je de kleding-industrie verantwoordelijk stellen voor de omvang van je achterste, maar is het niet beter om zelf de verantwoordelijkheid voor de oplossing van het probleem op je te nemen?

groot, wit en zakachtig

waarom: zelfs onder de gunstigste omstandigheden veranderen deze T-shirts... eigenlijk bestaan er geen gunstige omstandigheden voor zakachtige T-shirts, behalve wanneer ze als stofjas worden gebruikt... ze veranderen een lichtelijk misvormd menselijk wezen in een zonder middel met een peervormige onderhelft.

8 lelijkste T-shirt

boothals

waarom: de breedte van de halslijn biedt een tegenwicht tegen de breedte van de heupen.

8 mooiste T-shirt

lang wikkelvest

waarom: een wikkelvest is een geweldig kledingstuk om borsten kleiner te maken en een taille te creëren. Bij iemand met zadeltassen moet de zoom het werk doen en helaas past deze niet om gevulde heupen. Probeer het zelf maar eens uit en je zult zien dat de zoom bij het breedste deel van je achterwerk uitstaat.

8 **lelijkste trui**

een die nauwsluitend is en boven op de heupen valt

waarom: scherpe lijnen, zonder een overdaad aan stof, houden het bovenlijf slank, terwijl een zoom tot net boven de heupen de taille zo smal maakt dat niemand zich nog druk maakt over die tassen.

alternatief
kort vestje

waarom: als je rijbroekheupen hebt, zul je bijna zeker een smallere romp hebben.Laat dus daarom een brutaal stukje buik boven een niet te strakke heupbroek zien.

taps toelopende pijpen

waarom: meer dan enig ander kledingstuk verfoeien wij de taps toelopende broek. Deze broeken zouden uit alle delen van de wereld verbannen moeten worden en vrouwen met zadeltasheupen die erin rondlopen, zou een maximumstraf moeten worden opgelegd. Als je zo'n broek hebt, verbrand hem dan, want de smalte van de enkels maakt je heupen exorbitant breed.

8

lelijkste broek

of
rechte pijpen

waarom: zelfs deze zijn bij de zoom niet breed genoeg om een tegenwicht voor de heupen te vormen.

wijd uitlopende pijpen

waarom: doe de jaren zeventig her-
leven. Zelfs als broeken met wijd uitlopende pijpen uit de mode raken,
moeten vrouwen met zadeltasheupen
ze hun hele leven blijven dragen, omdat het de enige broeken zijn die
brede heupen tot betrekkelijk geringe
proporties terugbrengen.

mooiste broek

alternatief
palazzo pants

waarom: de wijd vallende stof hangt van de
heupen af en laat zo de buitenwereld onkundig
van het ongewenste dat zich daaronder af-
speelt.

schuin geknipt

waarom: door de diagonale snit van de stof klampt de rok zich, als een zuigeling aan de borst, aan je heupen vast. Dat is prachtig voor zandloperfiguren, maar stilistische zelfmoord voor peervormigen, omdat bovenmaatse dijen er absoluut piramidaal door lijken.

of
...
kokerrok

waarom: je zadeltas-heupen zouden net zo goed door de Hubble-telescoop vergroot kunnen worden en in een museum voor hedendaagse kunst tentoongesteld, zo dik maken deze rokken je.

A-lijn in elke lengte

waarom: de stof glijdt over en voorbij het lichamelijke rampgebied, waardoor de toeschouwers onmogelijk je duistere geheim kunnen ontdekken.

8 **mooiste rok**

tailleurtje

waarom: elk jasje dat tot het breedste deel van de heupen reikt, is vreselijk voor je. Je kunt ongestraft iets korters aandoen, als je dat met een rok in A-lijn draagt, maar de gebruikelijke lengte van zo'n paardrijjasje legt onnodige nadruk op een toch al zwaar onder druk staand lichaamsdeel.

of
...
kokerjas

waarom: als deze om je achterste past, zal hij nergens anders passen.

driekwartlengte met wijd uitlopende rokpanden

waarom: net als een rok in A-lijn zal de jas rijbroekheupen wegwerken.

grote revers

waarom: opvallende revers vormen een tegenwicht voor brede heupen, doordat ze je borstkas en schouders verbreden en de illusie van meer taille wekken.

mooiste jasje

8

	€	€€	€€€
top	Topshop, Zara, Oasis	Velvet, Dosa	Marni
trui	French Connection, Zara	Ballantyne	Marni
broek	Zara	French Connection, Jill Stewart	Marni, Giorgio Armani
jurk	Zara	Dosa, Joseph	Marni, Elspeth Gibson
jas	Hennes, Zara, Topshop	Whistles, French Connection, Jigsaw	Prada, Miu Miu, Marni

8 winkelen

gulden regels

Draag nooit schuin geknipte rokken of jurken – tenzij je wilt dat iedereen zijn aandacht op je grootste gebrek richt.

Draag nooit jasjes tot de heupen, omdat je daarmee alleen maar je kolossale dijen accentueert.

Denk eraan je silhouet in evenwicht te brengen door rokken in A-lijn en broeken met rechte of wijd uitlopende te dragen.

Lange jassen zijn beter dan korte jasjes.

Leggings zijn goed voor het fitnesscentrum en nergens anders.

Doe een outfit aan die je nooit draagt. Vraag jezelf af waarom hij je nou toch niet flatteert.

Berg alles netjes op – het zal alleen maar werken, als je het kunt vinden

Misschien vind je een korte hals van
weinig of geen belang. Zelfs als je er een
hebt, is het je waarschijnlijk niet eens
opgevallen dat je hoofd rechtstreeks
vanuit je schouders omhooggroeit.
Ongetwijfeld leef je in een lange-halzen-
paradijs en tooi je jezelf op met aller-
hande **wurgende martelwerktuigen**.
We zien hoe je verstikt wordt door cols en
naar adem snakt in een nonchalant om-
geknoopt sjaaltje. Als er slecht mee
wordt omgegaan, kan een korte hals
in esthetisch opzicht rampzalig zijn.
Kijk eens om je heen en kies een gedrongen, sjokkend vrouwspersoon uit. Ze kan

korte
hals

dik of dun, lang of klein zijn, maar ze heeft iets dat haar wanstaltig maakt. Kijk eens wat beter en we durven te wedden dat het haar foutief beklede hals is die haar in onze gebochelde vriend van de Notre Dame verandert. Door korte halzen kunnen **magere vrouwen dik lijken**, mooie lelijk en jonge – wanneer ze ook nog een dubbele onderkin hebben – oud vóór hun tijd. Helaas zal geen langdurige hongerkuur of vaardig hanteren van het operatiemes de kinlozen een kaak geven of de halslozen een zwanenhals. **Het euvel kan alleen door trucjes verholpen worden**.

turtleneck

waarom: omdat deze armeluiscol tot halverwege de hals loopt, laat hij alleen de andere helft over van wat al een jammerlijk kort lichaamsdeel is.

en
ronde hals

waarom: nog altijd te hoog om enigerlei illusie van lengte te wekken.

of
rolkraag

waarom: als je korte nek te lijden heeft van extra kin(nen), zullen deze over de bovenkant van de kraag hangen en zul je eruitzien als een kalkoen met schildklierproblemen.

diepe V-hals

waarom: hierdoor wordt een maximum van de borststreek onthuld, wat de hals langer maakt.

alternatief
wijd uitgesneden ronde hals

waarom: laat meer van de schouders zien, waar-door, als ze door een goede houding omlaag worden geduwd, de hals langer en eleganter wordt.

Nehroe

waarom: doet precies hetzelfde als
een turtleneck, wat neerkomt op esthe-
tische verstikking door een kraag die er
te strak en overweldigend uitziet voor
je onvolgroeide hals.

of
...
kraagloze bloes

waarom: ze zijn fout, vooral voor onderkinnen.
Ze doen noch het een noch het ander en de
overdaad aan slap vlees zal het eerste zijn wat
je vanaf de halslijn ziet opdoemen.

opgezette overhemdkraag

waarom: dankzij de hoogte van de kraag rijst de hals sierlijk op uit de vouwen. Zorg ervoor dat je de bloes laag dichtknoopt om je hals nog meer te verlengen.

9 mooiste kraag

brede nauwsluitende halsband

waarom: zal er meer uitzien als een halsband om een heel compacte bul-terriër dan als een aantrekkelijke halsversiering. Het is té overweldigend voor iets zó onderontwikkelds.

lelijkste halsband 9

een teer halsbandje

waarom: vanwege de teerheid ervan geeft het halsbandje je hals meer ruimte om te schitteren, zonder dat de hals verstikt wordt.

geen oorbel

waarom: een korte hals zonder oorbellen is een korte hals die wreed-
aardig wordt blootgesteld aan kritische
blikken. Omdat oorbellen langs de
zijkant ervan omlaaghangen, fungeren
ze als oogkleppen die de ogen blind
maken voor de ontoereikende lengte
van je hals.

9 lelijkste oorbel

oorhangers

waarom: als de oorhanger lang is, zal de lengte ervan op je hals afstralen. De oorhangers trekken de halslengte namelijk op tot je oorlelletje in plaats van tot je kaak.

9 mooiste oorbel

	€	€€	€€€
top	Gap, Mango, Jane Norman	French Connection, Jigsaw, Whistles, Karen Millen	Joseph, Anna Molinari, Yves Saint Laurent, Stella McCartney
sieraden	Accessorize, Topshop	Mikey, Butler & Wilson, Agatha	Erickson Beamon, Me&Ro
bloes	Etam, Zara, Next, Marks & Spencer, Oasis, River Island	Whistles, DKNY Calvin Klein, Dolce & Gabbana, Max Mara, French Connection, Karen Millen	Jill Sander, Comme des Garçons, Paul Smith, DKNY, Dolce & Gabbana, Calvin Klein, Ralph Lauren

gulden regels

De enige keer dat je ongestraft met een hoop goud kunt lopen, is wanneer het in je mond zit.

Korte halzen onder een klein hoofd moeten nooit dikke halskettingen om hebben.

Lange oorhangers zijn flatteuzer.

Hoe langer de vleespartij tot de borsten, hoe langer de hals zal lijken.

Turtlenecks benadrukken alleen maar een gedrongen hals.

Maak een pashmina niet met een lus vast – sla hem tweemaal om.

Hoe meer vlees je bij je decolleté laat zien, hoe langer je hals zal lijken.

Smijt de kleren die je niet staan de deur uit – ook al beschouw je ze als oude vrienden.

Heb je al jarenlang hetzelfde kapsel? Dat kan dan wel veilig zijn, maar misschien wordt het tijd voor een verandering

Wat is het kenmerk van een goed vol-
bloedpaard? Dat het dankzij smalle
enkels gezwind als de wind kan rennen.
Evenzo wijzen dikke enkels op een ge-
woner ras als dat van het boeren- of trek-
paard. Omdat deze paarden zware vracht-
en kunnen trekken en door diep geploeg-
de voren kunnen ploeteren, werden hun
dikke vetlokken aan de onderbenen over
het algemeen vooral bewonderd en
geprezen door boeren en mijneigenaren.
Ofschoon we niet willen beweren dat de
enige plaats waar **dikke menselijke
enkels** ermee door kunnen diep in de
mijn of tot de knieën in de mest is, mogen
we wel zeggen dat ze net als **forse**

dikke
enkels
en kuiten

kuiten, wanneer ook maar mogelijk, **ver-doezeld zouden moeten worden**. De zomer is de ergste vijand. Hoewel broeken uitstekend camoufleren en verkrijgbaar zijn in vederlichte, luchtige stoffen, kun je je niet altijd in broeken inpakken. Het is leuk om **af en toe een stukje been te laten zien**. Als je dus een roklengte, en nog belangrijker, schoenen vindt die je benen flatteren, kan de hitte je vriend worden. De winter is natuurlijk veel gemakkelijker, omdat rokken in alle lengtes met laarzen kunnen worden gedragen. Uiteindelijk los je het probleem alleen op door een **meester in het scheppen van illusies** te worden.

kort, tot de enkel

waarom: elke broek die tot halverwege de kuit reikt is een wapperende vlag die naar een vormloos onderbeen wuift.

of
legging

waarom: waarom zou je überhaupt nog kleren aantrekken? Behalve dat we je cellulitis zien, zullen je kuiten achter slot en grendel worden gezet wegens openlijke wetsschennis.

en
jeans met taps toelopende pijpen

waarom: niets ziet er belachelijker uit dan een kuit die in een jeans is komen vast te zitten.

met wijd uitlopende pijpen

waarom: er is geen stof die op een lelijke manier rond de kuiten kan spannen – in plaats daarvan is alles verborgen en ogen de benen langer als er onder de extra broekslengte hoge hakken schuilgaan.

10 mooiste broek

kuitlang

waarom: een dikke kuit in een mid
dellange rok doet ons aan een ijsberg
denken; alleen is hier niet het topje,
maar de buitenproportioneel grote
onderkant ervan te zien.

of
...
schuin geknipt

waarom: een schuin geknipte stof is ervoor
gemaakt om het lichaam verleidelijk te
omspannen. Daardoor ziet alles er in verhou-
ding onder de zoom er kolossaal uit.

A-lijn tot de knieën

waarom: hoe wijder de rok, hoe slanker kuit en enkel lijken.

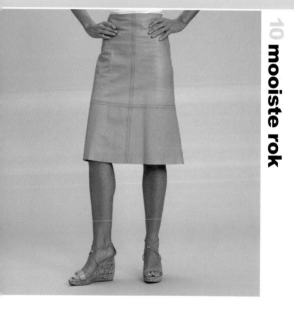

enkelbandje

waarom: door de aanstootgevende enkels te omcirkelen, lijkt het of ze gewurgd worden, waardoor ze het voorwerp van andermans bezorgdheid over hun welzijn worden.

of
muiltje met diabolohakje

waarom: het gewicht van de kuit lijkt niet door het tere hakje getorst te kunnen worden en de gesloten neus hakt de voet in twee; de benen zien er 7 à 10 centimeter korter uit.

sandaal met open teen en blokhak

waarom: de enkel wordt tot de tenen verlengd, waardoor de benen slanker lijken.

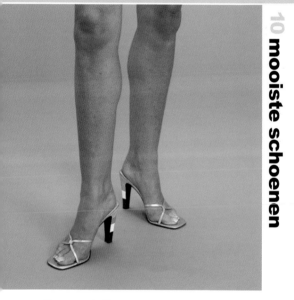

alternatief
sleehak

waarom: de sleehak is zwaar genoeg om zelfs aan de dikste kuiten tegenwicht te bieden.

geen laarzen

waarom: als je geen laarzen in je garderobe hebt, moet je ze meteen aanschaffen, omdat ze het dragen van rokken tot een waar genoegen maken.

of
......

kuitlaars

waarom: de vlezige kuit zal uitpuilen. Ze zijn prima als de bovenkant van de laars verborgen blijft.

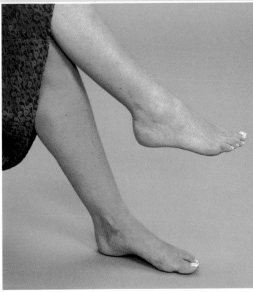

en
.....

enkellaars

waarom: zelfs de mooiste benen zien er dik en hoerig in uit. Prima onder een broek, maar als je ze bij dikke kuiten aantrekt, zul je zien dat ze het allerlelijkst denkbare accessoire zijn.

nauwsluitend, strak rond de enkel

waarom: hoewel moeilijk te zeggen is waarom, ziet dit model, precies tot de knie, er het beste uit. De kuit is helemaal bedekt en laarzen als deze doen ook wonderen voor dikke enkels. Eigenlijk geldt met deze laarzen: hoe dikker de enkels, hoe beter.

10 mooiste laarzen

alternatief
hoge enkellaars

waarom: doordat deze de enkels tot aan de kuiten verbergen, wordt totaal verdoezeld dat ze dik zijn.

	€	€€	€€€
rok	Topshop, Zara, Warehouse	Tracy Boyd, Karen Millen, Jigsaw, French Connection, Reiss	Dries Van Noten, Marni, Alice Temperley, Gharani Strok
broek	Zara, Miss Sixty, Diesel, Hennes	French Connection, Jasper Conran for Debenhams, Earl Jean, Fenn Wright & Manson, Plenty, Paul Smith, Nougat	Chloé, Roland Mouret, Plein Sud, Marni, Dolce & Gabbana, Giorgio Armani
schoenen	Zara, Nine West, Dune, Faith, River Island, Shelleys	Karen Millen, LK Bennett, Bertie, Kurt Geiger, Emma Hope	Rodolphe Menudier, Dolce & Gabbana Prada, Miu Miu, Versace
laarzen	Zara, Faith, Debenhams	Karen Millen, Joseph, Hobbs	Jane Brown, Sergio Rossi, Tod's, Stephan Kélian, Christian Louboutin

gulden regels

Kleine spitse hakjes doen dikke enkels geen goed.

Omcirkel je enkels nooit – alleen eronder mag een bandje te zien zijn.

Strakke rokken benadrukken alleen maar alles wat te breed is boven de voeten.

Lange rokken worden speciaal gemaakt voor dikke enkels (zelfs als je kleiner bent dan 1.50 meter).

Laarzen redden dikke kuiten overal uit.

Draag nooit driekwart broeken.

Draag nooit een legging, behalve als je naar de fitnessclub gaat (en draag ze, als je vrijgezel bent, zefs daar niet).

Draag nooit driekwart jurken of rokken.

Bij een lichtgekleurde outfit dienen nooit zwarte of bruine schoenen te worden gedragen

Websites van kleding- merken

Hiernaast vind je de websites van de grotere, bekende kledingmerken, die bijna in elke stad in Nederland verkrijgbaar zijn. Om die reden zijn de afzonderlijke verkoopadressen achterwege gelaten. Wil je op de hoogte blijven van hun laatste trends en collecties, of wil je weten waar bij jou in de buurt hun kleding verkocht wordt, bezoek dan de websites.

Accessorize
www.accessorize.co.uk

Agnès b.
www.agnesb.fr

Benetton
www.benetton.com

Bertie
www.bertie-wooster.co.uk

Bhs
www.bhs.co.uk

Diesel
www.diesel.com

DKNY
www.dkny.com

Dorothy Perkins
www.dorothyperkins.co.uk

Dune
www.dune.co.uk

East
www.east.co.uk

Esprit
www.esprit.com

French Connection
www.frenchconnection.com

Gap
www.gap.com

Guess?
www.guess.com

Hennes
www.hm.co.n/nl

Hobbs
www.hobbs.co.uk

Jigsaw
www.jigsaw.co.uk

New Look
www.newlook.co.uk

Jones Bootmaker
www.jonesbootmaker.com

Next
www.next.co.uk

Karen Millen
www.karenmillen.com

Oasis
www.oasis-stores.com

Knickerbox
www.knickerbox.co.uk

Office
www.officeholdings.co.uk

Kookaï
www.kookai.nl

Petit Bateau
www.petit-bateau.com

Long Tall Sally
www.longtallsally.com

Principles
www.principles.co.uk

Marks & Spencer
www.2marksandspencer.com

River Island
www.riverisland.co.uk

Matalan
www.matalan.co.uk

Russell and Bromley
www.russellandbromley.co.uk

Mexx
www.mexx.com

Topshop
www.topshop.co.uk

Mikey
www.Mikey.co.uk

WE
www.wefashion.com

Miss Selfridge
www.missselfridge.co.uk

Zara
www.zara.com

Miss Sixty
www.misssixty.com

MK One
www.mkone.co.uk

Monsoon
www.monsoon.co.uk

Morgan
www.morgandetoi.com

Muji
www.muji.co.uk

Winkels met lef en karakter

Op **www.robijn-fashion.nl/waargajeshoppen** vind je een selectie van de meest karakteristieke winkels met een originele collectie in acht grote steden in Nederland: Amsterdam, Arnhem, Den Bosch, Eindhoven, Groningen, Maastricht, Rotterdam en Utrecht.

Zeker de moeite waard om te bezoeken voordat je een dagje gaat shoppen. Naast een uitgebreide beschrijving van de winkel, collectie en sfeer, hebben ze ook – héél handig! – praktische gegevens als openingstijden, betaalmogelijkheden, adresgegevens en een routebeschrijving opgenomen. Hiernaast vind je een selectie uit hun aanbod.

Bijenkorf

Dam 1.

Grootste warenhuis van Nederland, dat naast het eigen merk, verschillende grote andere kledingmerken verkoopt. Elk jaar, vanaf april, presenteren en verkopen zij de collectie van de winnaar van de Robijn Fashion Award. De Bijenkorf zit in dertien grote steden verspreid over Nederland.

www.bijenkorf.nl

Solid

Haarlemmerdijk 20.

Trendy, draagbaar en betaalbaar voor de modebewuste koper tussen de 16-35 jaar.

Margriet Nannings

Prinsenstraat 8.

Nederlandse mode-ontwerpster, met internationale allure.

13 Paleisstraat

Paleisstraat 13.

Verfijnde Franse merken voor vrouwen tussen de 18 en 35 jaar die een voorkeur hebben voor vrouwelijke, soepel vallende katoenen mode, én Petit Bateau.

Dona Fiera

Huidenstraat 18.

Stijlvolle kleding van hoge kwaliteit voor de vrouw die zich durft te onderscheiden. Een verrassende collectie van (on)bekende ontwerpers uit o.a. Italië, Denemarken en Nederland.

adressen

Extra Small

C. van Eesterenlaan 7.

Dit is de eerste mode-
zaak in Nederland die
zich speciaal richt op
de tengere vrouw met
maatje 32 t/m 38. Ze
verkopen zakelijke
kleding, mooie basics
en trendy vrijetijdskle-
ding van de grotere
topmerken.

Stout

Berenstraat 9.

Lingerie als kunstwerk.
Je vindt hier zowel de
kunstzinnige lingerie
van ontwerpster Mar-
lies Dekkers, Undres-
sed, als de vrolijke en
vrouwelijke ontwerpen
van Malizia.

Turning Point

St. Anthoniebreestraat
126-128.

Vrouwelijk, modisch,
tijdloos en met verras-
sende internationale
ontwerpen in hun col-
lectie.

Colombine

Nieuwe Hoogstraat 6.

Een unieke combinatie
van kleurrijke hand-
gemaakte shawls uit
India en een elegante
kledingcollectie.

Megazine

Rozengracht 207-213.

Dé designer outlet
store, waar je voor een
prikje grote merken als
Armani, Boss, Dolce&
Gabana, Ferré, Gucci
en Prada kunt kopen.

Look out

Utrechtsestraat 91.

Een winkel met een
etalage als een snoep-
winkel. Een prachtige
collectie van internatio-
nale designerlabels uit
onder meer Nederland,
Japan, Denemarken en
Italië.

Angel Basics

Urechtsestraat 132.

Vrouwelijke sexy kle-
ding en een grote col-
lectie hebbedingen en
glitter & glamour acces-
soires.

Van Ravenstein

Keizersgracht 359.

Zij verkopen de ontwer-
pen van gevestigde
Belgische ontwerpers
als Dries van Noten,
Ann Demeulemeester,
Martin Margiela, Dirk
Bikkembergs, Bernard
Wilhelm en Veronique
Branquinho. En niet te
vergeten te missen,
de kleding van het Ne-
derlandse ontwerpers-
duo Viktor & Rolf.

adressen

Arnhem

Monique Barrée

Jans Binnensingel 2a.
Stijlvol, chic en elegant.
Veel luxe Italiaanse kle-
dingmerken voor de za-
kenvrouw vanaf 35
jaar.

Penninkhof

Jansbinnensingel 11b.
Een brede collectie met
exclusieve merken die
een breed publiek zal
aanspreken. Bijzonder
is dat zij elk jaar een
merk van een nieuw
Nederlands talent toe-
voegen aan hun collec-
tie.

Lapeche

Bakkerstraat 8.
Je vindt hier niet alleen
een goede collectie van
mooie Italiaanse mer-
ken maar ook prachtige
schoenen, sieraden,
riemen en tassen.

Trix & Rees

Bakkerstraat 70.
Eigenzinnig maar
draagbare mode met
flair, gemaakt door
twee Hollandse nuchte-
re mode-ontwerpsters
die oog voor kwaliteit
en detail hebben.
www.trixenrees.nl

Gsus Heavens Playground

Kerkstraat 3.
Voor iedereen die niet
in de grijze massa wil
opgaan. Hip, gewaagd,
kleurrijk en veel opval-
lende prints. Door vier
keer per jaar nieuwe
kleding en accessoires
aan te bieden, willen ze
vernieuwend blijven.

Den Bosch

Lunaticz

Orthenstraat 7.
Een kleurrijke winkel
met trendy mode in gro-
te en kleine maten. De
collectie wisselt snel,
dus je moet er steeds
even binnen lopen.
Basic is uit den boze!

Juul

Kolperstraat 9.
Exclusief met eigen
karakter. Je betaalt wat
meer, maar kunt er dan
ook op rekenen iets bij-
zonders mee naar huis
te nemen.

BLUE

Postelstraat 14.
Wie bij BLUE binnen
stapt komt zelden met
lege handen weer
buiten. Een unieke mix
van tweedehands kle-
ding, nieuwe kleding en
eigen ontwerpen voor
een betaalbare prijs.

Ravage

Ridderstraat 3a en 12.
Mooie, stijlvolle kleding
voor de modebewuste
vrouw. Een aantal mer-
ken in deze winkel
wordt exclusief in Den
Bosch verkocht.

Addy van den Krom-menacker

Verwerstraat 79.
Heel bekend Nederland
koopt zijn kleding bij
Addy. Hij verkoopt top-
ontwerpen van mode-
huizen als Dolce&Gab-
bana, Yves Saint Lau-
rent, Ralph Lauren en
Versace.
www.addyvandenkromen-acker.nl

Einhoven

SW-Strictly Woman

Heuvelgalerie 89-91.

De prijs-kwaliteitver-
houding en hipheid is
belangrijker dan de be-
kendheid van het merk.
De collectie is op een
originele manier gepre-
senteerd, namelijk op
kleedmoment.

CeCe

Hooghuisstraat 4.

Modieuze, commercië-
le kleding gesorteerd
op (rustige) kleurgroe-
pen voor mode- en
merkbewuste vrouwen
vanaf 20 jaar.

www.cece.nl

Depeche Toi

Kerkstraat 5.

Een winkel letterlijk vol
stoere kleding, leuke
schoenen, hippe tasjes
en bijzondere badkle-
ding.

Artishock

Hooghuisstraat 8-10.

Winkel met de nieuwste
design-trends. De mer-
ken in hun collectie
worden geselecteerd
op vernieuwing, het
moet vooral 'in' zijn.

Jurc Kleding

Kleine Berg 31.

Cleane Belgische mo-
de, vaak gemaakt van
natuurlijke stoffen als
linnen, katoen en wol,
voor vrouwen en man-
nen die een represen-
tatieve outfit voor het
werk zoeken.

Groningen

Flair-lines

Folkingestraat 59.

Exclusieve ontwerpen
gemaakt in eigen Itali-
aans atelier. Naast
eigen collectie ook ont-
werpen van Margriet
Nannings en Eiske
Henneman.

La Diva

Zwanestraat 16.

Glitter en glamour. De
winkel bij uitstek voor
bruisende feestkleding,
met een grote collectie
galajurken.

Part of Art –
Artishock

Zwanestraat 8-10.

Toonaangevend en ge-
zellig. Een eigenzinnige
mix van toonaangeven-
de designkleding en
sportieve basics. Met
een prachtige collectie
tassen van Hester van
Eeghen.

Haastje Repje

Gelkingestraat 41.

Voor de draagsters van
het merk Corel en voor
vrouwen die op zoek
zijn naar basics met
originele details. Ze
verkopen ook opvallen-
de tassen en kleurrijke
sieraden.

Maastricht

Koiki!

Achter het Vleeshuis 39.

Vooruitstrevende kleding, grotendeels Italiaanse designkleding. Gewaagd en chique volgens de laatste modetrends.

Depeche

Platielstraat 2.

Een winkel waar je elke maand even moet binnenlopen, omdat er dan weer een nieuwe trendy collectie uit Bologna hangt.

Muchachas

Heggenstraat 16.

Een winkel die een divers publiek aantrekt, van alternatieve jonge meiden tot modebewuste vrouwen. Bijzonder is de grote collectie hoeden.

Noa Noa

Markt 56.

Kwaliteit uit Denemarken. Originele kleding van natuurlijke materialen voor de zelfbewuste vrouw die kleding zoekt die langer dan één seizoen meegaat.

MAX

Stationsstraat 43.

Stijlvol en dynamisch, kwaliteitskleding volgens de laatste mode. Ze verkopen zowel vrijetijdskleding als kleding voor feesten en speciale gelegenheden.

Rotterdam

VANDIJK

Van Oldebarneveldstraat 5.

Duurzame, klassieke merken voor de werkende vrouw, die op zoek is naar een collectie die afwijkt van de grote winkelketens.

Prague by Louis Dijksman

Van Oldebarneveldstraat 119b.

Een collage van stijlen met als gemeenschappelijke deler: a touch of avantgarde. Een winkel met een kledingcollectie die haar eigen taal spreekt.

Beljon

Oude Binnenweg 102.

Hier verkoopt men naast designerkleding van bijvoorbeeld het goedlopende Deense merk Bruuns Bazaar ook tweedehands meubels uit de jaren '50, '60 en '70!

www.beljon.com

Outrage

Nieuwe Binnenweg 85.

Hier verkopen ze extravagante feestkleding voor voor houseparty's én bruiloftsfeesten. Naast harige bontjes van onbekende merken vind je er ook originele stukken van designers.

Utrecht

Daen's
Schoutenstraat 14.
Zakelijk en sportief,
voor de werkende
vrouw die weinig tijd
heeft om te passen en
snel een garderobe wil
aanschaffen.

Image
Oudkerkhof 53.
Trendy designerkleding
voor merkbewuste
mannen en vrouwen
die wel wat geld willen
spenderen aan mooie
kleding.

Cocon
Choorstraat 17.
Voor speciale gelegen-
heden. Klassiek, vrou-
welijk en tijdloos met
een bijzondere collectie
avondtasjes.

Silhouet
Korte Minrebroeder-
straat 7.
De basis wordt ge-
vormd door een zwarte
damescollectie, aange-
vuld met actuele kleu-
ren. Bijzonder is de col-
lectie sieraden van ver-
schillende ontwerpers.

Springers
Springweg 132.
Een winkel met een
grote diversiteit aan
duurzame en goed
doordachte producten.
Naast kleding en
tassen verkopen ze
bijvoorbeeld ook meu-
bels, vazen en lampen.
Een initiatief van interi-
eurontwerper Thomas
Haukes en kleding-
ontwerpster Pauline
Schreurs.

Winkel-straat voor fashion victims

De hoofdstedelijke
P.C. Hooftstraat
in Amsterdam is
eigenlijk de enige
straat in Nederland
die zich kan meten
met de grote mode-
Avenue's in New
York, de chique
Boulevards in Parijs
en de trendy High
Streets in Londen.
In deze Hollandse
modelaan met inter-
nationale allure zit-
ten gevestigde na-
men als Ab Donkers,
DKNY, Edgar Vos,
Morgan, Gucci, Hu-
go Boss, Kookaï en
Luis Vuitton.
Via www.pchooft-
straat.nl vind je
meer informatie.

adressen

Eigen merk

Hieronder vind je een aantal bekende en onbekende (designer)winkels die hoofdzakelijk hun eigen merk verkopen. Via de website kun je zien waar een filiaal bij jou in de buurt te vinden is.

Ann Demeulemeester

Deze Belgische ontwerpster die wereldwijd bekend is, heeft een prachtige eigen winkel in Antwerpen aan de Leopold de Waelstraat, recht tegenover het Museum voor de Schone Kunsten.

Analik

Hartenstraat 36. Hier verkoopt ontwerpster Analik uitsluitend haar eigen ontworpen kleding, waarmee ze zeker de concurrentie met de collectie van de grote ketens aan kan gaan. Mooi, trendy en typisch Analik.

Carla V.

Carla V. is een begrip als je over leren kleding praat. De kwaliteit van het leer staat bij haar voorop, evenals de minutieuze afwerking van haar stukken. De klant kan aangeven in welke kleur en van welke leersoort zij haar model gemaakt wil hebben. Haar winkel zit in de trendy Cornelis Schuytstraat in Amsterdam.

Cora Kemperman

Negen zaken verspreid over negen grote steden in Nederland en België. Kemperman laat zich inspireren door onder meer Yamamoto, Dries van Noten en Ann Demeulemeester.
www.corakemperman.nl

Dries van Noten

In het prachtige Modepaleis te Antwerpen verkoopt Dries van Noten zijn supervrouwelijke ontwerpen. (Mannen zijn er ook welkom, op de eerste etage.) Nationalestraat 16.

Kookaï

Provocerende en verleidelijke kleding voor de zelfbewuste vrouw. Kookaï is te vinden in meer dan 50 plaatsen verspreid over Nederland en België.
www.kookai.nl

Kosiuko

Argentijns modemerk, bekend van onder meer de low cut jeans. Kosiuko heeft nu ook een outletstore in de Huidenstraat in Amsterdam.
www.kosiuko.nl

Laundry Industrie

Nederlands design, simpel en stijlvol. Verschillende winkels in Nederland mogen dit merk exclusief verko-

pen. Er bevind zich onder andere een filiaal in Amsterdam aan het Rokin.

www.laundryindustrie.com

Possen

Via www.possen.com kun je een op maat gesneden pak laten maken. Dit bedrijf verkoopt maatpakken voor mannen en vrouwen en doet dat zowel via internet als via de vijf winkels in Amsterdam (2), Den Haag, Nuth en Maas-tricht.

Sissy Boy

Special basics voor mannen en vrouwen. Vrolijk, nuchter, eigentijds, energiek en puur. Zij verkopen naast het eigen merk ook de collectie van de Duitse ontwerper Migel Stapper.

www.sissyboy.nl

Sky

Onder de naam She Rebel verkoopt ontwerpster Lilian Konings haar spannende en uitdagende collectie. Ze houdt ervan om verschillende soorten stoffen te bewerken en te combineren waardoor het een handgemaakte look krijgt. Haar winkel zit aan Herengracht 288 in Amsterdam.

Schoenen

Ab Donkers

Ab Donkers importeert en ontwikkelt zelf modische schoenen van Italiaanse kwaliteit. De vier winkels zijn te vinden in Amsterdam, Haarlem, Laren en Alkmaar.

www.abdonkers.nl

Antonia

Een schoenenzaak met lef voor mannen en vrouwen met een uitgesproken smaak.Gasthuismolensteeg in Amsterdam.

www.antoniabyyvette.nl

Betsy Palmer

Als je op zoek bent naar originele schoenen met een eigenwijs karakter die je een exclusief gevoel geven. Te vinden aan het Rokin 9-15 en in de Van Woustraat 46 in Amsterdam.

www.betsypalmer.com

City Slickers

Zij verkopen Reef-dames- en herenslippers in de meest uitgesproken kleuren en opvallende modellen. Berenstraat 39, Amsterdam.

Coccodrillo

Een Belgisch paradijs voor elke schoenliefhebber. Hier verkopen ze niet alleen Antwerpse merken, maar ook de bekende internationale merken als Jil Sander, Miu Miu, Prada en Helmut Lang. Schuttershofstraat 9, Antwerpen.

Kenneth Cole (New York)

Zij verkopen naast trendy schoenen, ook tassen, kleding en zonnebrillen. Filiaal onder andere in Leidsestraat, Amsterdam.

www.kennethcole.com

Hester van Eeghen

Hester van Eeghen is vooral bekend van haar tassen, maar ze verkoopt ook de meest prachtige schoenen met namen als Pope, Joker, Maxima en Cross y'r heart.

www.hestervaneeghen.com

Freelance

Dit is een bijzondere schoenenketen. Naast het filiaal in Amsterdam hebben zij zaken in Dubai, Izmir en Tokio. Je vindt er hippe, klassieke, extreme en supervrouwelijke schoenen voor alle leeftijden. Rokin 86.

Jan Jansen

Over de schoenen van Jan Jansen valt weinig anders te zeggen dan dat het ware kunstwerken zijn. Geen paar is hetzelfde en je zult nergens schoenen vinden die op welke manier ook gelijkenis vertonen met deze kleurrijke, maar draagbare ontwerpen. Jan Jansen zit aan het Rokin in Amsterdam.

Shoebaloo

Designer shoeshop die uitsluitend schoenen en accessoires van internationaal bekende ontwerpers en producenten verkoopt. Exclusief en modebewust met hoog lifestylegehalte. Filiaal in Leidsestraat, Amsterdam.

Paul Warmer

Naast bijzondere eigen ontwerpen verkopen ze hier ook topmodellen uit de schoenencollecties van Sergio Rossi, Gucci, Yves St. Laurent en Tod's. Dit familiebedrijf zit in de Leidsestraat in Amsterdam.

Tassen

Cellarich

Naast de eigen Cellarich tassencollectie verkopen ze hier ook merken als Lulu Guiness, Oilily, en Bronti Bay. Hun winkel vind je aan de Haarlemmerdijk 98 in Amsterdam.

Hester van Eeghen

Zij is een van Nederlands bekendste tassenontwerpsters met internationale faam. Wat opvalt aan haar werk is het gebruik van geometrische vormen, bijzondere kleurcombinaties en soepele leersoorten. Niet alleen de reguliere winkels, maar ook verschillende museumwinkels verkopen haar tassen.

www.hestervaneeghen.com

Furla

De ontwerpers van Furla hebben een tas voor elke gelegenheid, uitgevoerd in de meest uiteenlopende kleuren, trendy en basic. De grote collectie is een lust voor alle tassenminnaressen. Hun winkel zit in de P.C. Hooftstraat 53 te Amsterdam.

Joke Schole

De tassen van Joke Schole zijn een feest voor het oog. Het zijn draagbare kunstwerkjes, gemaakt van unieke materialen as geverfd oud kant, gelakte, geprinte foto's, antieke en new tech stoffen. Elke tas bevat een grapje en de binnenkant is altijd een verrassing.

www.jokeschole.com

Mermaid tassenatelier

Slim ontworpen, handgemaakte tassen in een heldere vormgeving van ontwerpster Hinkce Elgersma. Te vinden aan de Weesperzijde 107 in Amsterdam.

www.mermaid.site.nl

Leerwerk

Leerwerk is het tassenatelier van ontwerpster Susan Boer, die vooral met tuigleer werkt. Zij maakt handsteektassen, rugtassen, zadeltassen en bewerkte tassen. Springers aan Springweg 132 in Utrecht verkoopt haar 'eindeloze' tassen.

www.leerwerk.com

Louis Vuitton

De eerste Louis Vuitton-winkel van Nederland is te vinden in de P.C. Hooftstraat in Amsterdam. Alleen de etalage, die elke twee weken opnieuw wordt ingericht, is al een lust voor het oog.

Tod's

Tod's is een van de grootste tassen en schoenenmerken ter wereld. De eerste Tod's winkel van Nederland is gevestigd in de P.C. Hooftstraat in Amsterdam.

Accessoires

Biba

Nieuwe Hoogstraat 26, Amsterdam. Hier vind je bijzondere sieraden van bekende ontwerpers als Jean Paul Gaultier, Vivienne Westwood, Dior, Erickson Beamen en Otazu.

Cellarich

Cellarich verkoopt tassen maar ook sieraden van bekende kleding-ontwerpsters als Vivienne Westwood, Isabel Marant en Viveka Bergstrom. Haarlemmerdijk 98 in Amsterdam.

Coppenhagen

Rozengracht 54, Amsterdam. Hier hebben ze planken en potjes vol met kralen, de allermooiste kralen en Venetiaans glas. Je kunt dus je eigen sieraad ontwerpen.

Hoeden M/V

Hier worden chique, klassieke, trendy en alledaagse hoeden verkocht. Grote namen als Vivienne Westwood, Borsalino, Brontë, Patricia Underwood en Jean Paul Gaultier zijn hier vertegenwoordigd. Als je hier niet slaagt lukt het je nergens. De winkel is te vinden aan de Herengracht 422 in Amsterdam.

Huis A. Boon

Deze Belgische handschoenenwinkel is internationaal bekend. Hier worden handschoenen met liefde gemaakt en verkocht. Jean Paul Gaultier heeft hier eens een paar gekocht. Lombardenvest 2-4, Antwerpen.

The Madhatter

Het grootste gedeelte van de hoedencollectie bestaat uit de eigen ontwerpen van Lisette Arneaudt. Arneaudt is vooral bekend van de bekende 'Pagode', een soort harmonicahoed die bestaat uit opgestapelde laagjes. Haar winkel is te vinden aan het Van der Helstplein 4 in Amsterdam.

De Robijn Kleuren- test

Op <u>www.robijn-fashion.nl</u> vind je een kleurentest die je precies vertelt welke kleuren jou er als een vaal muurbloempje doen uitzien en welke een positieve invloed op je uitstraling hebben. Door je haarkleur, de kleur van je ogen en type huidskleur in te vullen, ontdek je welke kleuren bij je passen en waarom, zodat je je garderobe daarop kunt aanpassen.

Robijn heeft deze kleurentest ontwikkeld in samenwerking met de professionele stijl- en kleuradviesstudio Kies je Kleur. Zij werken met de methode van Color me Beautiful, die wereldwijd erkend is. Via <u>www.kiesje-kleur.nl</u> kun je persoonlijk kleuradvies en stijladvies voor kleding en make-up krijgen.

dankwoord

Sten en Johnnie voor hun geduld en hun, een Oscar verdienende, belangstelling voor dit boek.

Susan en Jessica voor hun bemoederende en onaflatende geduld.

Michael voor het feit dat hij een Rottweiler is.

Rachel voor het feit dat ze Michael grote botten te eten geeft.

Charlotte voor het feit dat ze ons jaren heeft bespaard.

Maria voor het gladstrijken en strelen van onze gestreste haarlokken.

Robin voor het feit dat hij altijd even goede foto's heeft gemaakt, ondanks het tempo waarin ze werden genomen.

Antonia voor de zorg voor de kleren.

Kelly voor de zorg voor Susannah's kinderen.

Al voor het loslaten van zijn vogels.

Ed voor het sjacheren.

Tracey voor het feit dat ze totaal niet naar onze kleding-adviezen luistert.

Vickie voor **Wat moet ik aan?**.